La Septième

À LA RECHERCHE DU GRIOT

VI

Marilou Addison

Catalogage avant publication de Bibliothèque et Archives nationales du Québec et Bibliothèque et Archives Canada

Addison, Marilou, 1979-

À la recherche du griot

(La septième ; 6)
Pour enfants de 8 ans et plus.

ISBN 978-2-89709-102-6

I. Titre. II. Collection : Addison, Marilou, 1979-   . Septième ; 6.

PS8551.D336A625 2016   jC843'.6   C2016-940241-X
PS9551.D336A625 2016

Auteure : Marilou Addison
Révision : Christine Barozzi et Anne-Marie Théorêt
Correction : Anne-Marie Théorêt
Illustrations : Annie Rodrigue
Graphisme : Julie Deschênes

Dépôt légal — Bibliothèque et Archives nationales du Québec, 1er trimestre 2016

ISBN 978-2-89709-102-6

Gouvernement du Québec — Programme de crédit d'impôt pour l'édition de livres — Gestion SODEC

Boomerang éditeur jeunesse remercie la SODEC pour l'aide accordée à son programme éditorial.

Nous reconnaissons l'aide financière du gouvernement du Canada par l'entremise du Fonds du livre du Canada (FLC) pour nos activités d'édition.

Imprimé au Canada

ASSOCIATION
NATIONALE
DES ÉDITEURS
DE LIVRES

*Pour toi. Oui, oui, toi,
cher lecteur (ou chère lectrice) !
Merci de me lire...*

La 7ième

★ ☆ ★

N'avez-vous jamais entendu parler de cette vieille légende qui dit que la septième enfant d'une famille posséderait un don? Et qu'à son septième anniversaire, ce don lui serait donné grâce aux pouvoirs d'une pierre précieuse? Non? Alors, toute une quête d'aventures et de mystère vous attend!

La quête d'Opalyne et de la sphère magique...

Maintenant, imaginez cette jeune fille qui serait à l'aube de ses neuf ans, mais qui n'aurait pas encore reçu son don. Elle doit partir à la recherche de celui de ses six ancêtres afin d'acquérir le sien.

Nous y sommes presque... Ah oui ! Il ne faut pas oublier les talents de joueuse de tours d'Opalyne, son caractère affirmé et surtout (surtout !) son épouvantable, abominable et insupportable voisin et ami surnommé PEF.

Ensemble, parviendront-ils à déjouer le mauvais sort, à faire quelques bonds dans le passé et à retracer les pierres magiques représentant les six premières générations de femmes de la famille d'Opalyne ?

Ces six pierres enfin réunies ne compléteront toutefois pas la sphère magique, puisqu'il manquera encore la dernière (et non la moindre !) : celle d'Opalyne... Car seule l'insertion de chacune des pierres dans la sphère pourra dévoiler son don à la jeune fille !

Pour en savoir davantage sur la quête d'Opalyne, il vous faudra donc lire cette fabuleuse série de 7 tomes...

Petite mise à jour

* * *

Famille d'Opalyne

Selena

Mon arrière-arrière-arrière-arrière-grand-mère. Sa pierre est la sélénite blanche et elle donne le pouvoir de lire dans les pensées.

Félicienne

Mon arrière-arrière-arrière-grand-mère. Sa pierre est le saphir bleu et elle donne le pouvoir d'arrêter le temps.

Gisabel

Mon arrière-arrière-grand-mère. Sa pierre est le grenat rouge et elle donne le pouvoir de déplacer les objets.

Cidonie

Mon arrière-grand-mère. Sa pierre est la citrine jaune et elle donne le pouvoir de voir le futur.

Tourmalyne

Ma grand-mère. Sa pierre est la tourmaline (évidemment !). Elle est noire et elle donne le pouvoir de communiquer avec TOUS les animaux.

Maëva

Ma mère. Sa pierre est… Alors là, aucune idée, mais j'ai bien hâte de la découvrir !

Opalyne

Euh… Je ne connais toujours pas mon pouvoir, pour l'instant !

7

Petite mise à jour

∗ ∗ ∗

Famille de PEF

Ashaïsha

Arrière-arrière-arrière-arrière-grand-mère de PEF et amie de Selena.

Leyti

Arrière-arrière-arrière-grand-mère de PEF et amie de Félicienne.

Hateya

Arrière-arrière-grand-mère de PEF et amie de Gisabel.

Chilali

Arrière-grand-mère de PEF et amie de Cidonie.

Angeni

Grand-mère de PEF et amie de Tourmalyne.

Etanya

Mère de PEF et amie de Maëva.

PEF

Pas besoin de vous le décrire, n'est-ce pas?!

MAUVAIS CUP RATÉ

CLAC CLAC

La première neige vient de tomber? C'est le moment parfait pour exécuter un autre mauvais coup... Mais avant, je dois trouver mes mitaines, ma tuque et mes bottes. (Évidemment, personne n'a pris le temps de préparer mes vêtements pour les journées plus froides!)

Je dois TOUT faire, dans cette maison!

OK, je ne fais pas pitié à ce point-là... Avec ma grand-mère récemment réveillée (et même un

peu TROP réveillée, je dirais…) et mes deux tantes qui ne cessent de me surveiller, j'arrive à peine à trouver deux minutes pour respirer ! (Surtout depuis qu'elles sont au courant que je possède quelques dons.)

Bref, je compte bien profiter de cette soirée enneigée pour renouer avec mes talents de joueuse de tours. Et ma victime de prédilection est nulle autre que… PEF ! Bien sûr !

D'ailleurs, voici de quoi il retourne. Suivez-moi, mais faites bien attention à ne pas laisser vos empreintes sur le sol, sinon le tour ne fonctionnera pas.

D'abord, il faut trouver un endroit où votre proie se rend très souvent. Dans le cas de mon insupportable voisin, je crois que son terrain de basket (dans sa cour) fera l'affaire. Munissez-vous d'une pelle et creusez un trou d'environ un pied. (Plus profond, ce serait à la fois très difficile et un peu dangereux... Je ne veux quand même pas que PEF se casse une jambe!)

Bon, laissez-moi m'exécuter et je vous reviens...

Voilà! Pas facile, quand le sol est gelé. Maintenant, recouvrez le trou avec de la neige. Une fois que c'est fait, il ne vous reste plus qu'à appeler votre cible et à vous placer devant le piège à andouille!

Regardez bien, PEF doit justement venir me rejoindre dans moins d'une minute... Ah! Le voilà qui accourt. Chuuuut... Faites comme si vous n'étiez pas là...

— Enfin, tu arrives!

— Pourquoi voulais-tu absolument que je vienne ici durant mon heure de dîner? J'ai faim, là!

— Approche un peu, je vais te le dire.

— Pas question. C'est toi qui dois avancer.

— Non! Toi, viens!

— Tu es tellement têtue, Opalyne la marsouine. Si tu veux vraiment me parler, prouve-le et fais le premier pas.

— Grrr... Tu ne comprends rien à rien, Philippe-Étienne Fortin! Hé! Lâche mon bras, non! Ne me tire pas! NON! Aaaaaaaaaaaaaaaaah!!!

ÇA Y EST! Je suis tombée dans le trou à la place de PEF! GRRR...

— Oups, je m'excuse, me lance mon horripilant voisin. Bon, j'ai autre chose à faire. Si ça te tente, tu viendras manger chez moi, ma mère a préparé une pizza aux anchois! Salut!

Le voilà qui s'en va...

JE VOUS INTERDIS DE RIRE! Oui, mon mauvais coup a souffert d'un petit contretemps. PEF ne le sait pas encore, mais je n'ai pas dit mon dernier mot...

Allez, venez me rejoindre au premier chapitre de mon histoire. Ce n'est pas le moment de traîner!

Magie interdite

Je sautille (parce que j'ai mal à la cheville, vous saurez!) jusqu'à la fenêtre de PEF et cogne trois coups contre sa vitre. Il vient coller son affreux nez sur la surface plane et tente de comprendre pourquoi je ne le rejoins pas à l'intérieur. Mon doigt forme les lettres **CHEZ MOI** sur sa vitre embuée, mais il doit les lire à l'envers, car il ne semble pas avoir décodé. (Ce qui pourrait aussi être dû à son idiotie habituelle…)

En soupirant, je claque des doigts et sa fenêtre disparaît comme par enchantement. Mais PEF se lance aussitôt dans son activité préférée, c'est-à-dire rouspéter :

— Hé! On gèle, dehors! Sans ma vitre, je vais mourir de froid!

— Du calme! Il ne fait pas moins mille, que je sache... Je voulais juste te dire que je dois me dépêcher de retourner chez moi, car ma grand-mère m'attend pour ma première leçon.

— Une leçon de quoi? De trompette? De guitare? De piano? Je ne savais même pas que Tourmalyne enseignait la musique...

— Espèce de cornichon! Une leçon sur mes DONS! Elle va me montrer comment bien les utiliser, c'est tout!

— Ah oui, tu m'en avais parlé. Je m'en souviens, maintenant. Mais je me demande encore pourquoi elle a attendu aussi

longtemps... Elle est réveillée depuis quand même deux
semaines! Elle aurait pu te donner
des cours avant, tu ne crois pas?

Je fais la moue. Il est plutôt
rare que ça se produise, mais je
dois avouer que PEF a raison.
J'ignore pourquoi, mais ma grand-
mère a refusé net de me montrer
quoi que ce soit. En plus, elle
m'a interdit d'utiliser ma magie.
(Je l'avoue, j'ai de la difficulté
à respecter ses consignes et dès
qu'elle a le dos tourné, mes doigts
me démangent de se remettre à
claquer...)

Ce n'est que ce matin qu'elle
a fini par me dire (du bout des
lèvres), durant le déjeuner: «Après
le dîner, viens me rejoindre dans

mon atelier, je te donnerai ta première leçon de dons. »

J'ai failli sauter de joie. Mais je ne pouvais pas, car j'étais en train de m'étouffer avec mon gruau, tellement j'étais heureuse ! Tante Annic m'a donné une grande tape dans le dos et j'ai passé à deux doigts de me retrouver le visage écrasé dans mon bol ! J'ai tout de même réussi à avaler ma bouchée, pour m'écrier :

— Pour vrai, grand-maman ?! Qu'est-ce qui t'a fait changer d'avis ?

— J'ai discuté au téléphone avec ton père, hier soir... Sans compter que tes tantes sont très insistantes, quand elles le veulent. Elles me font penser à toi. De toute manière, ce que j'ai à te dévoiler pourra te servir, si…

Elle n'a pas terminé sa phrase, car Rouquine a sauté sur mes genoux. Bourdon est aussi venu se poser sur ma tête. Il était temps que je prépare leur repas. Une cuisse de poulet pour ma renarde et une assiette de sauterelles pour ma chouette. Je commence à être habituée à leur drôle de régime, même si je déteste toujours autant les insectes…

Bref, je dois me dépêcher, car ma grand-mère est loin d'être patiente. Je salue PEF et me dirige le plus vite que je peux vers chez moi. Dans mon dos, je l'entends qui continue de se plaindre :

— Et ma fenêtre, alors ?!

Un nouveau claquement de doigts et celle-ci réapparaît. Évidemment, j'aurais pu avertir mon voisin que je m'en occupais, au lieu de le laisser s'écraser contre la vitre... Mais je lui devais bien ça, après mon dernier tour qui n'a pas fonctionné du tout !

Revenons à nos pélicans craquants ! Tourmalyne doit se demander ce que je fabrique. Mais avec ma cheville qui me retarde, j'arrive difficilement à aller plus vite. À moins que j'utilise ma magie... Sauf que je ne dois pas me faire prendre par ma grand-mère. Je vais donc me faire réapparaître dans ma propre chambre. Elle y va très rarement.

Allez, hop ! En un claquement, je suis déjà sur mon lit. Face à... ma GRAND-MÈRE ! Mais qu'est-ce qu'elle fait là, au juste ? Chose certaine, elle ne semble pas du tout heureuse de me voir.

— Opalyne ! Qu'est-ce que je t'ai dit, au sujet de tes dons ?

— Euh, c'est que... je... en fait... Bon, d'accord, c'est vrai, j'ai désobéi. Mais j'ai une TRÈS bonne excuse ! Je me suis blessée à la cheville et...

— Je ne veux pas le savoir ! Si je t'ai interdit d'utiliser la magie, c'est pour une excellente raison !

— Justement, peut-être qu'il serait temps que je la connaisse, cette fameuse raison !

Tourmalyne pince les lèvres, secoue la tête et me fait signe de la suivre. Ce n'est pas aujourd'hui que j'en apprendrai davantage sur ses motivations. Parfois, j'en viens à me dire qu'elle est jalouse de mes pouvoirs. C'est possible. Après tout, je possède désormais CINQ dons ! Je suis capable de lire dans les pensées, d'arrêter le temps, de déplacer les objets, de lire dans le futur et de communiquer avec les animaux. Alors que ma grand-mère, elle, peut seulement parler avec les bêtes.

Mais ce n'est pas son genre, d'être envieuse... Je me pose de plus en plus de questions sur son comportement. Surtout que dernièrement, puisqu'elle refusait de m'aider, j'ai dû faire appel à une autre personne... Une personne bien spéciale, avec qui je ne peux communiquer que par la pensée.

Maëva, ma mère...

Comment est-ce possible ? Je n'en ai aucune idée ! Sauf que c'est bien réel. Même si elle est décédée, elle a trouvé le moyen de me parler. Pour mon plus grand bonheur !

Seule ombre au tableau : je n'ai pas le droit de dévoiler sa présence à qui que ce soit. Plus les jours avancent, plus cela devient difficile. Ma grand-mère et mes tantes seraient si heureuses de savoir que ma mère est de retour ! Peut-être même qu'à nous quatre, nous pourrions parvenir à la faire revenir à la vie…?

D'ailleurs, je dois aussi me concentrer sur la recherche de la pierre magique de ma mère. Et puisque Tourmalyne refuse de me donner plus de détails sur l'endroit où elle pourrait bien être cachée, c'est à ma maman que je vais le demander !

Quand cette première leçon sur mes dons sera terminée…

Maëva, ma mère

★ ☆ ★

Elle était super belle, ma mère. Grande, avec de longs cheveux bruns tirant sur le roux. (Mais pas de la couleur poil de carotte, comme ceux de PEF!) Je le sais parce que j'ai vu des photos d'elle dans l'album rangé au salon. Sur la plupart de celles-ci, on la voit en compagnie de mon père et de mes sœurs. Il y a aussi des clichés où elle se trouve en Afrique, avec des gens à la peau aussi foncée qu'une barre de chocolat noir à 90 % de cacao!

Et sur toutes ces photos, elle sourit. Sauf sur la dernière, où elle est enceinte de moi. Son ventre semble près d'exploser et elle se tient debout devant la cheminée. Papa m'a déjà dit que cette grossesse l'avait épuisée et rendue maussade. Parfois, je me demande si c'est ma faute. Si elle n'est plus là, je veux dire. Mais à d'autres moments, je suis certaine qu'elle aurait aimé me connaître.

Ma mère croyait que les étoiles influencent nos vies. Elle voulait étudier le ciel et ses mystères. Tout cela la *fascinait*. Je crois que c'est la raison pour laquelle elle s'est rendue en Afrique (où elle a connu mon père). Pour en apprendre davantage. Et pour avoir une meilleure vue du ciel. Loin des lumières de la ville. En plus, il y a des tonnes de phéno-mènes météorologiques *fascinants* là-bas.

Sauf que personne n'arrive à me dire exactement ce qu'elle a fabriqué en Afrique, avant de rencontrer mon père. Lorsque papa et elle sont devenus amoureux, elle était là depuis au moins un mois. Il n'a jamais pu savoir les raisons de son arrivée sur ce continent. C'est un peu comme si une partie de l'histoire de la vie de ma mère manquait au casse-tête. Et grand-maman refuse de m'aider sur ce coup-là.

Mais puisque j'adore résoudre des énigmes, je compte bien trouver l'explication à celle-ci...

Première leçon
de dons

Je suis Tourmalyne qui se dirige promptement vers son atelier. Visiblement, elle a retrouvé toute son énergie, car j'ai de la difficulté à garder le rythme. Ce n'est pas le cas de ma chouette, qui vole au-dessus de la chevelure de ma grand-mère, ni de ma renarde, qui sautille entre ses jambes. Je les entends d'ailleurs se parler (puisque je peux désormais comprendre leur langage) et je constate qu'elles sont tout excitées à l'idée de me voir pratiquer mes pouvoirs.

« Elle va peut-être faire apparaître une montagne de coquerelles ! »

« Non, un ÉNOOOOORME poulet cru juste pour moi ! »

« À moins qu'elle accepte de venir voler en ma compagnie ! J'adore ça, quand elle se fait apparaître tout en haut des arbres pour mieux me regarder ! »

« Moi, je préfère lorsqu'elle vient hurler à la lune durant la nuit ! »

Pfff... Ces bêtes sont pires que PEF, avec leur gourmandise. Et hurler à la lune, je n'ai JAMAIS fait ça ! Bon... peut-être une fois, mais je hurle si mal que j'ai seulement réussi à faire fuir tous les animaux du coin !

De toute manière, je me doute bien que ce ne sont pas les talents que je devrai mettre en pratique avec ma grand-mère. Il serait étonnant qu'elle me demande de crier, de grimper aux arbres ou de cuisiner une assiette d'araignées bien juteuses ! (Yark !) Je pénètre à la suite de Tourmalyne dans son atelier avec impatience. Je n'y ai pas mis les pieds depuis un certain temps. La sphère s'y trouve toujours, bien en évidence dans un coin de la pièce.

Un vent glacé me balaie le dos et me pousse inconsciemment vers celle-ci. J'ai l'impression d'être en transe. Comme si je ne contrôlais plus mes mouvements. Je lève la main pour y toucher, mais grand-maman m'interpelle et me fait revenir sur terre.

— Opalyne, viens ici ! Assieds-toi par terre, sur ce tapis, et écoute bien mes instructions.

Je m'exécute en soupirant. C'est le week-end et, pourtant, je me sens comme un jour de semaine, lorsque je dois subir un cours de mathématiques. Je dé-tes-te les chiffres, le calcul mental et tout ce qui vient avec !

Mais puisque je n'ai pas le choix, je saisis le crayon et le cahier posés au sol juste à côté de moi. Je note religieusement toutes les informations que ma grand-mère me donne...

C'est looooooong. Et Péniiiiible.

Pour ne pas sombrer dans l'ennui encore davantage, je regarde partout autour de moi. Sur une étagère, une rangée de petits écureuils ont élu domicile. Leurs yeux sont fermés et ils se sont assoupis. (Les chanceux!) Couché directement sur le plancher, ma renarde roupille en bavant. Ma chouette menace de tomber de son perchoir, car elle nous a aussi quittés pour le monde des rêves. Bref, personne ne semble attentif à mon enseignante improvisée... Même pas moi!

— ... les pouvoirs... bla bla bla... sont dans notre famille... bla bla bla... interdit de... bla bla

bla... responsabilités... bla bla bla...

Et son monologue continue durant des heures et des heures. (Bon, OK, j'exagère, mais cela prend au moins VINGT minutes avant qu'elle n'enchaîne sur un sujet plus intéressant!)

— Maintenant, Opalyne, nous allons tester les pouvoirs que tu possèdes déjà. J'ai besoin de savoir comment tu te débrouilles. Essaie de lire dans mes pensées.

Facile! Je me concentre pour écouter ce qui se passe entre ses deux oreilles. Mais je n'entends que le souffle du vent... Je plisse des yeux, fais la grimace, sors la langue, me gonfle les joues. Toujours rien... Mais voyons, qu'est-ce qui m'arrive?!

— Hum, marmonne Tourmalyne. C'est plutôt facile de te bloquer. Essayons autre chose. Tu vois cette horloge ? me dit-elle, en pointant le mur derrière elle. Essaie de remonter les aiguilles.

— Remonter les aiguilles ? Tu veux dire, de revenir dans le passé ?

— Exactement.

— Mais je ne peux pas. J'arrive seulement à arrêter le temps.

— Hum, je vois... Encore quelque chose que tu auras à tra-vailler. Normalement, tu devrais y parvenir. Mais passons à ton troisième pouvoir. Tu déplaces les objets, c'est ça ?

Cette fois, j'acquiesce vive-ment. Ce pouvoir, je le contrôle à la perfection. Au moment où je m'apprête à claquer des doigts, ma grand-mère me stoppe sur ma lancée pour me demander:

— Soulève la maison.

— La... maison? Comme dans NOTRE maison? Où nous sommes en ce moment? Mais c'est bien trop lourd! Personne ne pourrait...

— Bien sûr que si! Ce n'est pas si compliqué. Essaie, pour voir.

Je ferme donc les yeux pour bien visualiser notre demeure. Pourtant, après quelques minutes à forcer davantage du visage que d'autre chose, je dois me résoudre à accepter que c'est au-dessus de mes forces. Mes épaules s'affaissent, tandis que Tourmalyne se frotte le menton d'une main.

— Hum... toujours rien. Passons à tes prédictions du futur.

— Ce pouvoir, je ne le comprends pas très bien encore. On dirait que je ne sais jamais quand mes visions vont surgir dans ma tête.

— Dirais-tu que tu peux surtout prédire un événement lorsque tu es impliquée émotivement ?

Je hoche la tête, car c'est exactement ça. Elle a mis le doigt sur ma façon de voir l'avenir.

— Oh... Je commence à comprendre. Mais voyons ce dernier pouvoir que tu as acquis il y a seulement deux semaines : celui de comprendre le langage des animaux. Les amis, venez ici ! clame-t-elle.

Les écureuils perchés sur l'étagère semblent enfin se réveiller et se secouent le dos, avant de sauter jusqu'à nous. Ils sont une dizaine à me faire face. Ils émettent des petits couinements et le tout crée un murmure cacophonique entre mes deux oreilles. J'arrive à peine à les comprendre, car ils ont trop de choses à dire en même temps. Ma grand-mère penche la tête sur le côté et attend que je parle. Mais je finis par lever les mains dans les airs, prise au dépourvu.

— Désolée, je ne pige rien à ce qu'ils racontent. Ils parlent tous en même temps !

— Et tu n'arrives pas à cibler l'un d'entre eux ?

Je secoue la tête, découragée. Moi qui me croyais puissante avec toute la magie qui coule dans mes veines, je n'arrive à rien du tout ! Tourmalyne fait un petit geste des doigts et tous les écureuils retournent sur leur perchoir. Elle s'agenouille devant moi et pose une main sur mon épaule, avant de me dire :

— Ne t'en fais pas. C'est normal. Tu as beau être une jeune fille courageuse et pleine de ressources, pour faire de la magie, il faut aussi apprendre les bases. C'est pourquoi je vais t'enseigner certaines techniques. Mais juste avant, j'ai un petit cadeau pour toi.

Ma grand-mère fouille dans le fond de sa poche et en sort une broche sur laquelle on peut apercevoir deux triangles positionnés l'un sur l'autre. L'un est à l'endroit et l'autre, à l'envers. Elle me la tend pour que je puisse l'examiner plus en détail. C'est joli, mais sans plus. Sans compter que l'objet est assez lourd.

— Il s'agit d'un pentacle de protection. Garde-le toujours sur toi et tu seras à l'abri de ceux qui te voudraient du mal. Tant que tu ne contrôles pas adéquatement tes pouvoirs, c'est mieux ainsi. Allez, reprends ton cahier de notes et écoute bien ce qui suit...

Je soupire de plus belle et attache la broche sur mon chandail. Visiblement, les cours pratiques ne seront pas pour aujourd'hui !

MAUVAIS CUP RATÉ (LE DEUXIÈME!)

CLAC
CLAC

Si, comme moi, vous avez raté votre dernier mauvais coup, voici venu le moment de vous venger! Et sur nul autre que notre PEF national! (Il va me payer ma blessure à la cheville, celui-là, soyez-en certains!)

D'abord, il vous faudra enfiler un chandail de laine plutôt épais. Puisque l'hiver est à nos portes, vous devriez en avoir quelques-uns cachés dans votre garde-robe. Vous aurez aussi besoin d'une

bobine de fil, que vous mettrez dans le fond de votre poche.

Assurez-vous de laisser paraître le bout de la ficelle. Ah! Et il est important que ladite corde soit de la même couleur que votre chandail.

Maintenant, direction votre victime... Regardez-moi bien aller, je m'en vais de ce pas rejoindre PEF, qui m'attend dans le salon. (Il est venu me voir après ma première leçon de dons.)

— PEF! Viens ici, s'il te plaît, j'ai un truc à te demander...

Il se lève, s'approche et mastique bizarrement. Mais qu'est-ce qu'il a dans la bouche? Il se gonfle les joues, souffle un bon coup et... fait une énorme baloune rose! Je plante le bout de mon doigt dans celle-ci et elle éclate d'un coup sec. (Tout en se collant sur le visage de mon ami...)

— Hé! Mais pourquoi tu as fait ça?

— Arrête avec ta gomme, on dirait une vache qui broute! Je voulais savoir si tu pouvais m'aider à me débarrasser de ce fil. Tu vois, celui qui sort de mon chandail?

Facile comme tout! Il le prend et tire dessus. Mais le fil se déroule dans ma poche! Hi! Hi! Hi! Voilà comment on joue un tour façon Opalyne! PEF s'énerve et ne comprend pas pourquoi le fil est si long. Moi, je m'amuse comme une petite folle!

Euh... qu'est-ce qu'il fabrique?! PEF pose les mains (collantes, à cause de sa gomme) sur mon

chandail et tire sur un VRAI fil de laine qui dépasse! OH NON!!

Un énorme trou se forme sur mon ventre et, bientôt, je me retrouve quasiment toute nue!

— PEF! ARRÊTE!!!

Quand il cesse enfin son manège, je dois me cacher avec mes bras. Fier comme un éléphant (ou un paon?), il tient le fil entre ses doigts et le brandit devant mes yeux.

Encore un mauvais coup qui vient de tomber à l'eau... Décidément, ce n'est pas ma journée pour les tours!

3

Tempête de neige

Une fois habillée convenablement (fichu mauvais coup qui, encore une fois, n'a pas fonctionné!), je retourne au salon, où PEF m'attend. Il n'est pas seul, car Laurie est aussi venue passer la journée avec nous. Et puisqu'il a neigé cette nuit, nous pourrons en profiter pour aller jouer dehors! Dès qu'il m'aperçoit, mon ami me demande:

— C'est quoi ce truc?

— C'est une broche qui doit me protéger contre les esprits maléfiques. D'ailleurs, j'ai bien besoin d'une pause de mes recherches des pierres magiques de ma famille, moi…

— Qu'est-ce qu'on fait, alors? demande Laurie en haussant les épaules.

— Vous sentez-vous prêts pour une bataille de boules de neige? leur dis-je avec le sourire.

PEF saute aussitôt sur ses pieds, mais Laurie grimace et gémit:

— C'est que je viens juste de me peigner…

— Bof, je ne vois pas la dif-férence, marmonne mon voisin, qui ne s'entend décidément pas mieux avec ma nouvelle meilleure ennemie.

Celle-ci décide de l'ignorer et se lève à son tour, le menton haut dans les airs. En cinq minutes à peine, nous sommes chaudement vêtus et je guide la petite troupe vers un coin de la cour arrière. Ma cheville ne me fait plus vraiment mal et je peux marcher assez vite. Si la neige ne s'écrasait pas sous mes pieds, ce serait encore mieux. J'entends justement les plaintes de PEF dans mon dos.

— Oh non ! Mes bas sont mouillés !

— Tu n'avais qu'à mettre des bottes de neige, et non de pluie, lui lance Laurie en le dépassant pour venir me rejoindre.

Je ne me préoccupe pas du commentaire de PEF et commence à façonner de grosses boules de neige. Laurie m'imite et, en moins de deux, la bagarre débute. Je reçois une balle en plein visage, mais j'en envoie aussi une sur la tête de mon assaillant. Je rigole et continue à bombarder mes ennemis (du moment), quand je constate que... JE NE VOIS PLUS RIEN AUTOUR DE MOI!

Que se passe-t-il? Un brouillard de neige s'est levé dans le jardin et je distingue à peine le bout de mes doigts. Les cris de mes amis me parviennent de manière étouffée et je comprends que ceux-ci sont en train de paniquer. J'ai l'impression qu'un ouragan tourne autour de moi. Le ciel s'est assombri et je ne sais même plus où se trouve ma maison…

Je respire avec difficulté, car de la neige s'engouffre par ma bouche et mon nez. Vite, je dois rabattre mon capuchon sur mes oreilles pour me cacher du mieux que je le peux. Nous sommes en plein mois de novembre et il est déjà étrange de voir autant de neige dehors… Sans compter que je n'ai jamais vu une tempête semblable dans ma ville !

Une voix s'immisce alors dans ma tête…

« Ma petite Opalyne, c'est moi, ta mère… Il faut que tu m'écoutes attentivement.

— MAMAN !? Qu'est-ce qui se passe ?

— Ne t'inquiète pas, un blizzard vient de s'abattre sur toi.

Mais si tu fais tout ce que je te dis, il ne t'arrivera rien.

— Comment ça, faire ce que tu me dis ? Je ne comprends pas…

— ÉCOUTE-MOI ! D'abord, tu dois me laisser entrer dans ta tête.

— N'est-ce pas déjà ce que tu es en train de faire ? Tu lis dans mes pensées, en ce moment, non ?

— Oui, mais ce n'est pas assez. Je veux pouvoir contrôler… je veux essayer de comprendre comment fonctionnent tes dons. Pour t'aider, évidemment… »

Comme me l'a prouvé ma grand-mère, lors de ma première leçon, c'est vrai que je contrôle encore très mal mes pouvoirs. Aussi bien laisser ma mère m'aider. Je ferme donc les yeux et la laisse m'envahir complètement. Un courant glacé me parcourt le corps et je me braque aussitôt en criant.

« Hé ! Ça fait mal ! Je n'aime pas ça du tout, maman.

— Désolée, ma petite. Je tente seulement de... OH NON ! TU PORTES LE... »

À ce moment, je perds le contact avec elle et ne l'entends plus du tout. Comme si ma mère avait été repoussée très loin de ma tête. Pour une raison que j'ignore, elle ne peut plus m'aider ! Mais avant que je me décourage, les pensées de PEF m'apparaissent clairement à travers le brouillard. Il tient la main de Laurie (il doit être mort de trouille pour agir de la sorte, lui!) et essaie d'avancer à l'aveuglette. Je me dirige vers eux, en me guidant simplement sur les pensées décousues de mon voisin.

« Maison... Trouver Opale... Manger... »

Évidemment, il fallait qu'il pense à se goinfrer, alors qu'il se trouve au cœur d'un blizzard, lui!

Quelques minutes plus tard, je heurte quelque chose... ou plutôt, quelqu'un! Ce sont mes deux amis, qui grelottent de froid et de peur.

— Ah, vous voilà! Je pense qu'on va devoir arrêter notre bataille pour trouver où est la maison. Tenez-moi la main, je vais essayer d'entrer dans la tête de mes tantes, elles vont me guider...

Lentement, nous marchons dans la neige. Les pensées de ma mère ont disparu et le vent devient de plus en plus fort, autour de nous. Mais je ne désespère pas, car j'entends faiblement tante Fannie chantonner et tante Annie réciter les ingrédients de sa nouvelle recette. Rien ne provient de grand-maman, par contre, mais je sais qu'elle cache ses pensées, alors ça ne me surprend pas tellement.

Quand enfin nous atteignons le perron, la neige s'est transformée en grêle et le vent nous fouette le visage si fort que j'ai l'impression de recevoir des lames de rasoir sur les joues. Mes doigts sont si rigides que je lève difficilement la main pour ouvrir la porte. La poignée est gelée et je ne parviens pas à la tourner...

Oh non! Il nous faut pourtant entrer dans la maison, ou nous allons mourir gelés, transformés en popsicles géants!

Au moment où je sens PEF tomber à genoux, suivi de peu par Laurie, je lâche la porte et m'effondre sur eux à mon tour. Mais un souffle chaud nous envahit. Quelqu'un a entendu nos cris et tire nos corps vers l'intérieur. C'est Tourmalyne. Son visage est sombre lorsqu'elle se penche sur moi pour savoir comment je vais. Je claque des dents et il m'est difficile de lui répondre.

— Nous... nous... nous... avons... été... coin-coin-coincés...

dans… la-la-la… tem-tem-tempête…

— Venez vous réchauffer dans le salon, mes enfants ! Je n'ai jamais vu un blizzard pareil. Cela n'augure rien de bon. Non… rien de bon…, continue-t-elle de marmonner, tandis qu'elle nous enveloppe d'une grande couverture de laine et que mes tantes se précipitent pour préparer un bon feu de foyer.

Mon cerveau a beau être à moitié gelé, je me demande ce qui a bien pu provoquer pareille intempérie. Je sens que je vais devoir recommencer mes recherches, si je veux en apprendre davantage. Et peut-être même revenir aux techniques de base que m'a enseignées Tourmalyne afin de mieux contrôler mes pouvoirs…

Les techniques de base

* ☆ ✦

Ma grand-mère a été très stricte à ce sujet. Si je ne respecte pas les techniques, mes dons pourront facilement être contrés par la première personne possédant un minuscule pouvoir. Je ne sais pas trop QUI, dans mon entourage, pourrait me vouloir du mal, ou simplement vouloir me défier en combat de magie, mais on ne sait jamais où se trouve le danger, comme le répète constamment tante Fannie.

Voici donc, selon mes souvenirs un peu vagues de mon premier cours de dons (j'avoue, j'étais souvent dans la lune...), les trois techniques primordiales que toute personne ayant des pouvoirs doit suivre :

TECHNIQUE n° 1

Rester concentré. Ça peut paraître banal, mais, dans mon cas, c'est loin d'être évident. Oui, je suis plutôt bonne en classe et je n'ai jamais eu de problème en maths ou en français, mais avec la magie, c'est trèèès différent. Je m'explique. Si je veux lire dans la tête d'une personne, c'est facile. Ça me vient sans trop d'effort. Mais si je veux voir un détail en particulier, je dois fouiller dans sa tête. Et ne pas me laisser déconcentrer par ce qui se passe autour de nous, ni par toutes les pensées qui viennent embrouiller mes recherches. Tourmalyne m'a conseillé de m'exercer avec PEF. Avec lui, ce ne sera pas de la tarte! Parce qu'il a constamment envie de manger, celui-là. Il *faut* donc que je me *fixe* un objectif (par exemple, essayer de découvrir ce qu'il a regardé à la télé) et tasser tous les éléments qui ont trait à la nourriture. Foi d'Opalyne, c'est loin d'être *facile*! Mais je compte bien m'y mettre dès aujourd'hui...

TECHNIQUE n° 2

Je dois bloquer mes pensées et cacher mes pouvoirs. Ça, l'oracle me l'avait déjà dit. (Si, si, vous n'avez qu'à relire *La malédiction de la sphère,* page 115.) Il s'agit de bâtir un mur très solide pour que personne ne puisse s'infiltrer dans ma tête. Je sais comment, mais j'avoue que je ne prends jamais la peine de le faire... En plus, même une personne qui n'a aucun pouvoir devrait en être capable.

TECHNIQUE n° 3

Ne pas me laisser envahir par mes émotions. Sûrement la technique la plus difficile pour moi. C'est que j'ai tendance à être plutôt émotive... Mais comme le dit Tourmalyne, plus je me laisse aller, plus mes pouvoirs sont diminués. Et elle a parfaitement raison là-dessus. Je dois donc apprendre à me calmer, à respirer et à tomber en mode « méditation », avant d'utiliser mes pouvoirs. Plus facile à dire qu'à faire...

Voilà pour les techniques. Et puisque PEF est juste à côté de moi, je vais tout de suite tenter de lire dans sa tête et y chercher une information bien précise. Je crois que je vais essayer de voir s'il déteste vraiment Laurie, ou s'il n'agit ainsi que par jalousie, parce qu'elle est mon amie.

Qui est amoureux de qui?

Assis en face de moi, **PEF** grelotte toujours et claque des dents sans pouvoir s'en empêcher. C'est le moment idéal pour fouiller ses pensées. (Surtout que ma grand-mère est partie nous préparer un bon chocolat chaud et qu'elle ne me verra pas utiliser mes pouvoirs…) Et je ne peux pas croire que mon ami songe encore à la bouffe, alors qu'il vient de passer à deux doigts de mourir gelé! Il doit certainement avoir la tête vide et je pourrai ainsi y trouver l'information que je désire. À savoir: déteste-t-il réellement mon amie Laurie?

Je ferme les yeux et m'immisce donc entre ses deux oreilles. Comme je l'espérais, il ne pense à rien en particulier. Mais même lorsque son corps est aussi frigorifié qu'un iceberg, je remarque que des hamburgers et des frites volent ici et là, prêts à surgir dans ses pensées à tout moment. Je ne devrais pas être surprise, mais je ne peux m'empêcher de soupirer…

Ce qui attire aussitôt l'attention de PEF. Je le vois dans sa tête, qui recommence à s'activer. Il se demande pourquoi je viens d'expirer l'air de mes poumons. Puis, il se questionne sur le mécanisme de la respiration. Ensuite, ses idées filent en direction du rhume qu'il risque d'attraper et qui le fera tousser. Il passe à son nez, qui se mettra inévitablement à couler, avant de s'imaginer avoir le visage tout congestionné et...

STOP! Ce n'est pas du tout ce que je veux savoir! J'ouvre les yeux et secoue la tête, dépitée. Je dois me concentrer. Je serre les poings et recommence mon manège. Les yeux de nouveau fermés, je me réinsère dans la tête de mon ami. Il est déjà rendu à des kilomètres de ses pensées initiales. Mais je ne veux pas savoir à quoi il pense, je cherche une information.

Laurie, Laurie, Laurie, où te caches-tu, dans l'esprit de PEF ? Pas facile de débroussailler le tout. Sa tête est aussi bordélique que sa chambre ! Ah, tiens, peut-être parmi les choses qu'il déteste ? Je vois justement apparaître madame Aglaé (que nous détestons tous les deux), mais aucune trace de Laurie à ses côtés… C'est de plus en plus étrange. Il ne peut pas avoir oublié l'existence de ma nouvelle meilleure ennemie, tout de même ! Ils passent leur temps à se chamailler, tous les deux !

En rebroussant chemin dans la tête de PEF, je trébuche (oui, c'est possible de s'enfarger dans ses pensées, vous saurez !) et je m'étale de tout mon long. Lorsque je lève le menton pour voir ce qui a causé ma chute, je vois d'abord des pieds, puis des jambes et, finalement, un corps en entier… Tout autour de cette personne se trouve un immense cœur.

Ne me dites pas que PEF est encore en amour avec cette Millie la chipie ! Mais lorsque j'aperçois enfin le visage de celle qui flotte dans ce cœur, je n'en crois pas mes yeux… Il s'agit de nulle autre que LAURIE ! Stupéfaite, je perds ma concentration en moins de deux, ce qui m'expulse sans plus de cérémonie de la tête de mon ami.

Je sursaute et reviens dans mon propre corps, encore secouée par cette information. Du coin de l'œil, j'observe PEF, qui se tient très loin de Laurie et qui ne lui jette aucun regard. Non… Ça doit être une erreur. Il ne peut pas être amoureux d'elle ! Ni elle de lui, de toute façon. Pour m'en assurer, je décide de faire un tour dans la tête de Laurie. Juste pour voir ce que je vais y trouver…

Et hop ! Me voilà dans ses pensées. C'est de plus en plus facile de me concentrer. Mais un peu moins de ne pas devenir émotive. C'est sûrement la raison pour laquelle j'ai perdu la connexion avec PEF. Je dois donc rester de marbre devant les informations que je vais recueillir.

Dans la tête de Laurie, les idées sont beaucoup mieux classées que dans celle de PEF. C'est pourquoi cela ne me prend même pas une minute pour arriver à la source de ses sentiments pour les autres. Je peux même me voir, entourée de petites étoiles. Nous sommes devenues de vraies amies, elle et moi. Ses parents sont aussi là, mais PEF semble se cacher loin derrière les autres. Comme si... comme si Laurie n'osait s'avouer à elle-même ce qu'elle ressent pour lui. En fait, il est assis dans un coin, tranquille. Je me penche vers lui et essaie de voir ce qu'il tient dans ses mains. Lorsque je les ouvre, je suis aussitôt expulsée de la tête de Laurie, car l'émotion me submerge!

C'ÉTAIT UN CŒUR! IL TENAIT UN CŒUR DANS SES MAINS! Ce qui voudrait dire que Laurie aussi est amoureuse de PEF! IN-CRO-YA-BLE!!! Moi qui pensais que ces deux-là se détestaient. Il semblerait que j'avais tout faux! Ils sont amoureux et ils n'osent pas se le dire... Je sens que je vais devoir jouer les entremetteuses, moi.

Mais pas tout de suite. Il nous reste plusieurs aventures à vivre avant et je dois rester CONCENTRÉE ! C'est pourquoi je me penche vers mes deux amis (amoureux, hi, hi !) et leur souffle :

— Dites donc, ça vous dirait de continuer la quête des pierres magiques de ma famille ? Il est plus que temps qu'on s'y remette, vous ne croyez pas ?

— Absolument ! Mais tu n'aurais pas quelque chose à manger, avant ? demande PEF, sans surprise.

— Arrête donc de ne penser qu'à te goinfrer ! Tu vas devenir aussi gros qu'un éléphant, si tu continues ! lui lance Laurie, en faisant claquer sa langue.

J'ignore sa remarque, car je sais bien qu'au fond d'elle, Laurie n'en pense pas un mot. Je leur explique plutôt ce que j'ai en tête. Puisque le prochain pouvoir à découvrir est celui de ma mère, je pourrais carrément lui poser des questions à elle, mais je ne peux pas dévoiler sa présence aux autres membres de ma famille. Aussi bien commencer par faire un tour au grenier, là où grand-maman a rangé une boîte contenant les objets ayant appartenu à Maëva.

Mes amis acquiescent aussitôt et, malgré leurs dents qui claquent toujours, abandonnent leur chaude couverture de laine pour me suivre, direction le grenier...

TROISIÈME
MAUVAIS C⬤UP
RATÉ grrr...

CLAC
CLAC

Pourquoi ne pas essayer (tandis que nous nous rendons au grenier) de réussir au moins UN mauvais coup aujourd'hui? Parce que, jusqu'à maintenant, mes statistiques sont plutôt désolantes...

Mais je n'ai pas dit mon dernier mot. Et c'est pourquoi je vous conseille de ne jamais laisser tomber!

D'abord et avant tout, il est bon de revenir à la base. (Comme pour mes fichues techniques de magie!) Allez faire un tour au

magasin de farces et attrapes (mon endroit de rêve...) et rendez-vous tout de suite à la caisse. L'objet en question ne se trouve pas dans les rangées. (Je le sais, je l'ai cherché pendant des heures, avant de me rendre compte qu'il était tout simplement placé sur un présentoir à l'avant de la boutique.)

En plus, il n'est pas très dispendieux et vous pourrez le réutiliser à plusieurs occasions. Moi, je ne compte plus les fois où j'ai fait sursauter mon père, toutes mes sœurs, tante Annie (mais pas tante Fannie, parce qu'elle a déjà peur de tout..., ni Tourmalyne, qui m'aurait fait de GROS yeux) et chaque visiteur qui est venu cogner à notre porte. Succès assuré. Cette fois, impossible pour moi de rater mon coup!

Je vous explique de quoi il retourne : il s'agit d'un petit paquet de gommes dans lequel on a caché un insecte en plastique. Pour faire plus vrai, j'adore remplacer celui-ci par une vraie sauterelle que j'emprunte à ma chouette. Mes victimes, elles, n'apprécient guère...

Pour PEF, pas question de lésiner sur le tour. C'est pourquoi j'ai mis une coquerelle tout ce qu'il y a de plus vivante! Lorsqu'il va ouvrir le paquet pour prendre une gomme, la coquerelle va en sortir et lui pincer le bout du doigt. Ce sera rigolo...

— Hé, PEF, voudrais-tu une autre gomme pour remplacer celle

79

que j'ai fait éclater? lui dis-je, en lui tendant le paquet.

— Moi aussi, j'en veux, déclare Laurie, en levant la main plus vite que mon voisin.

— NON! Pas toi!

— Comment ça, pas moi? J'aime ça, la gomme. Et je vais peut-être arrêter de claquer des dents, si j'en mâche une.

— C'est parce que je... euh... Tu n'aimes pas cette saveur, toi. Je vais t'en trouver une autre sorte.

— C'est faux! J'aime toutes les saveurs. Allez, donne-moi une gomme, Opalyne! m'ordonne Laurie, en mettant les mains sur ses hanches.

J'hésite encore, quand PEF me pointe le poignet, un sourcil levé.

— Opale, c'est normal qu'une coquerelle soit en train de grimper sur ton bras? Et de se glisser sous ton chandail?

OH LÀ LÀ! JE LA SENS QUI SE FAUFILE SUR MA PEAU!!! Aaaaaaaaaaaaaah!!! J'ai attendu trop longtemps pour faire mon mauvais coup!

(Encore un qui vient de tomber à l'eau. Je commence sérieusement à douter de mes qualités de joueuse de tours...)

CLAC
CLAC

La boîte à surprises

Je grimpe la première dans la petite échelle en bois qui mène au grenier. Ce n'est pas une pièce où nous venons souvent et elle est remplie de poussière. PEF se met d'ailleurs à éternuer et à propulser ses germes un peu partout autour de nous. (Pour le plus grand malheur de Laurie…)

— Heille ! Tu dois mettre ton coude devant ton visage, quand tu éternues. C'est dégueu, sinon, et on va tous être malades à cause de toi! gémit ma meilleure ennemie.

— Pourquoi je mettrais mon coude devant mon visage? Des plans pour que celui-ci soit tout mouillé! ÇA, c'est dégueu! réplique PEF, avec l'intelligence qu'on lui connaît.

Parfois, je me demande POURQUOI c'est LUI qui a été choisi pour m'aider dans ma quête...

Pour couper court à la dispute qui se prépare, je leur indique tout de suite ce que je cherche dans la pièce. À savoir, une boîte de carton avec une inscription sur le dessus. Inscription qui se lit comme suit: MAËVA, VOYAGE EN AFRIQUE. Il y a plusieurs autres boîtes ayant appartenu à ma mère, mais celle-ci est sûrement la plus mystérieuse. Et je n'ai pas le goût d'avoir de la peine en fouillant dans ses souvenirs plus intimes... Son voyage en Afrique me semble donc tout indiqué pour amorcer nos recherches.

C'est Laurie la première qui met la main sur la fameuse boîte et tous les trois, nous nous asseyons autour afin d'en vider le contenu. PEF est le premier à lever dans les airs un instrument de la grosseur de son bras et qui ressemble étrangement à une guitare, mais en beaucoup plus aplatie.

— Qu'est-ce que c'est que ça? demande-t-il, en le tournant dans tous les sens.

— Aucune idée, mais fais attention ! C'est peut-être fragile ! lui dis-je en le lui retirant des mains.

C'est un bel objet dont le bois a été usé. Il doit déjà être un peu brisé, parce qu'il fait du bruit quand on le secoue, comme s'il avait perdu des pièces en son centre. Peut-être que ma mère l'a déjà utilisé. Ça me fait drôle de l'imaginer en train de le manier.

Pour ne pas devenir nostalgique, je le dépose à ma droite et continue mon inspection. Pendant que mes amis s'extasient devant des bijoux de toutes sortes (collier avec immense cercle en bois au centre, boucles d'oreilles multicolores, bracelet en forme de serpent), je plonge la main dans la boîte et en ressors un paquet de photos.

Lentement, je les fais défiler devant mes yeux. On y voit le paysage incroyable de l'Afrique. Durant son voyage, ma mère a pris des tonnes de clichés. C'était sûrement avant qu'elle ne rencontre mon père, car il n'apparaît sur aucun de ceux-ci. Je peux voir ma mère en compagnie d'enfants de couleur. Ils tournent autour d'elle et elle éclate de rire. Sur une autre photo, son bras est posé sur l'épaule d'un homme à la peau noire comme le charbon qui porte une longue tunique blanche.

Le dernier cliché est pris en plein désert, alors que ma mère et une autre femme sont assises côte à côte, comme si elles écoutaient ou regardaient un spectacle. Et derrière elles, un énorme arbre les surplombe. Je m'apprête à remettre les photos dans la boîte quand Laurie se penche sur mon épaule et s'écrie :

— Hé! Je suis certaine que je la connais, cette femme!

— Bien sûr, c'est ma mère…

— Non, pas elle. L'autre! Son visage me fait penser à…

PEF se joint à nous et observe à son tour la photo. Ça ne lui prend pas une seconde qu'il s'écrie :

— En tout cas, elle ressemble vraiment beaucoup à Millie, vous ne trouvez pas ?

— Oui, c'est exactement ça ! rajoute Laurie. Je crois que c'est la mère de Millie la chipie !

Je reste muette un instant. La mère de Millie ? Amie avec la mienne ? Je ne comprends plus rien à cette histoire. Qu'est-ce que la mère de la pire chipie de toute l'école ferait en Afrique, avec la mienne par-dessus le souper ! Non... par-dessus le déjeuner ! Non, ce n'est pas ça, l'expression... Ah, je sais : par-dessus le marché ! Bref, comment sont-elles devenues si proches ? La seule personne qui pourrait m'éclairer sur le sujet, c'est justement LA meilleure amie de ma mère, quand elle était jeune.

C'est-à-dire Etanya. La mère de PEF...

Je saute sur mes deux pieds et entraîne mes amis derrière moi. Malgré les interdictions de Tourmalyne, je dois gagner du temps et c'est pourquoi je me décide à claquer des doigts... Pour nous faire réapparaître juste dans le portique de la maison de mon voisin.

— Wow ! Je cours de plus en plus vite, s'extasie ce dernier.

— Idiot ! C'est moi qui...

Mais j'abandonne l'idée de lui expliquer comment il se fait

que nous sommes déjà chez lui.
Je le pousse plutôt vers le couloir
et me contente de lui dire :

— Je dois parler à ta mère.
Dis-lui que c'est important, on va
l'attendre au salon, d'accord ?

PEF hoche la tête et va chercher sa mère, pendant que je mets
Laurie dans le secret des cieux.
Euh... des bœufs ? Des dieux,
voilà ! Lorsqu'Etanya entre dans la
pièce, je me dépêche de lui mettre
la photo à deux centimètres du
visage.

— Pourquoi ma mère était-
elle en Afrique avec la mère de
Millie ?!?

— Opalyne, pas besoin de
me coller ça sur le nez ! Recule un
peu, s'il te plaît. Bon, c'est mieux.

Tu veux savoir pourquoi ta mère était amie avec Anna, c'est ça ?

— Anna, c'est son nom ?

Etanya va s'asseoir sans prendre la peine de répondre. Nous nous accroupissons face à elle. PEF, lui, a ramassé un bol de raisins dans la cuisine au passage et il les grignote, tout en écoutant sa mère nous expliquer de quoi il retourne.

— Anna, ta mère et moi, nous étions de très bonnes amies. Un trio infernal, comme se plaisait à le répéter ta grand-mère. Ce voyage en Afrique était le point culminant de notre amitié. Ou en tout cas, là où tout a basculé, disons…

Je l'interromps, trop curieuse, pour demander :

— Qu'est-ce que tu veux dire par « basculer » ?

— Ce voyage a transformé ta mère. D'abord, c'est là qu'elle a rencontré ton père, comme tu le sais. Mais avant cela, nous y étions allées pour rencontrer le griot du village.

— Nous ? la reprend Laurie.

— Oui, car j'y étais, moi aussi, avoue Etanya. D'ailleurs, c'est moi qui prenais les photos. C'est la raison pour laquelle on ne me voit sur aucun cliché. Je suis toujours derrière l'objectif.

— Che ne chavais pas que chtu échtais allée en Achfrique, maman ! intervient PEF, la bouche pleine.

— Finis ta bouchée avant de parler, toi ! Eh oui, nous avions une chose bien précise en tête, avant notre départ. C'était une idée fixe, surtout chez Anna et Maëva. Toutes les deux, elles ne pensaient qu'à rencontrer un griot qui leur enseignerait la magie. Maëva songeait sans cesse à s'améliorer, à perfectionner son don.

— C'était quoi, son don, à ma mère ?

— Ce n'est pas à moi de te le dire, ma chère Opalyne, me répond-elle en secouant la tête.

— D'accord, mais en quoi un griot aurait-il pu l'aider ? D'abord, c'est quoi, un griot, au juste ?

La mère de PEF me sourit gentiment et commence à me tracer le portrait du fameux griot...

Un griot
ou un grillon?

★ ☆ ★

D'abord, le mot « griot », ça me fait penser à « grillon ». Et des grillons, vous ne voulez pas en rencontrer. En fait, ils pourraient m'être très utiles pour un de mes célèbres mauvais coups (à la condition que je finisse par en réussir un!), car ce sont des insectes! Ça ressemble à des sauterelles. Rien à voir avec un griot, qui est un magicien...

Bon, pas RÉELLEMENT un magicien, mais disons que, dans la tradition africaine, c'est tout comme. Je m'explique: un griot est un homme (ou une femme, d'ailleurs) qui raconte des histoires, chante des chansons et s'occupe de toutes les cérémonies importantes dans les communautés d'Afrique.

Il peut jouer de certains instruments, dont le xalam (ce truc qui ressemble à une guitare et que PEF a trouvé dans la boîte de ma mère) et le tambour. Ou encore mieux : il peut agiter son bâton de pluie ! Ça, c'est tout simplement un instrument génial ! (Et facile à fabriquer, en plus !) Il suffit de prendre un long tuyau, de boucher les deux extrémités, mais en ayant pris soin de le remplir de sable ou de petites roches. Quand on bascule le bâton d'un côté, ça imite le bruit de la pluie qui tombe...

En Afrique, le griot peut se faire appeler « djéli » et il est porteur de tous les savoirs du peuple. C'est un vieux sage, quoi ! Je comprends un peu mieux pourquoi ma mère souhaitait en rencontrer un. Elle voulait en apprendre davantage. C'est normal.

Mais ne devient pas griot qui veut. Ses parents doivent l'être avant lui. C'est donc héréditaire. Un peu comme la transmission de nos dons dans notre famille. Il y a vraiment beaucoup de similitudes entre le pouvoir des Sept et celui du griot, finalement...

6

À la recherche du griot

La mère de PEF termine son explication au moment même où son fils (ce cher PEF...) passe à deux doigts de s'étouffer avec un raisin. Je saute sur mes deux pieds pour appliquer la méthode de Hamlet... euh... de Hamburger ? Ça commence par un H, j'en suis certaine. C'est un mot compliqué. On dirait de l'allemand. Pendant que je réfléchis à la chose, Laurie me bouscule en criant :

— Tasse-toi, je vais lui faire la technique de Heimlich !

Ah... Voilà le mot que je cherchais !

Mais je n'ai pas l'occasion d'en faire part à Laurie, car elle s'installe déjà derrière PEF, l'empoigne par l'abdomen et commence à le tirer durement vers elle.

En moins de temps qu'il n'en faut pour dire « cucurbitacée », le raisin est expulsé (il revole même sur mon front !) et PEF retrouve le souffle. Il se tourne immédiatement vers Laurie et lui saute au cou. Puis, il lui assène un énorme bec sonore sur la joue pour la remercier. Mon amie rougit et se frotte le visage, mais elle se contente de baisser les yeux par terre.

Ce qu'ils sont mignons...

Ils devront toutefois attendre plus tard pour vivre leur amourette, car j'ai d'autres rats à frapper ! D'autres bas à mélanger ! D'AUTRES CHATS À FOUETTER !

C'est pourquoi je me tourne vers Etanya et la remercie, avant de tirer mes amis vers la chambre de PEF, où je dois leur annoncer une grande nouvelle.

À vous aussi, d'ailleurs, chers lecteurs…

Une fois dans la chambre, je ferme la porte et m'adosse contre celle-ci. Mes deux amis ont oublié de se faire les yeux doux et me fixent en silence (PEF, la bouche grande ouverte, et Laurie, les sourcils froncés). En articulant lentement, je leur annonce de quoi il s'agit :

— Comme vous le savez, je dois encore trouver la pierre magique de ma mère. Et je pense bien savoir où elle pourrait être…

— Où ça ? me questionne Laurie. La boîte de ton grenier ne nous a pas donné beaucoup d'indices...

— En plus, tout ce qu'on sait, maintenant, c'est que nos mères sont allées en Afrique. Et ce n'est quand même pas là qu'on va se rendre..., ajoute PEF.

Mais je ne dis rien. Je les fixe tour à tour. Laurie avale sa salive avec difficulté, car elle comprend où je veux en venir. PEF aussi (pour une fois !), car il secoue la tête rapidement.

— OH NON ! Pas question ! De toute manière, on a de l'école dans deux jours et on n'arrivera jamais à s'y rendre et à revenir en une fin de semaine !

Je lève les yeux au plafond en soupirant. PEF a tendance à oublier que je possède certains dons trèèès utiles… Comme celui de nous téléporter exactement là où je le veux.

C'est pourquoi je redresse les épaules, me tiens bien droite et avoue :

— Oh que oui ! Je suis à peu près certaine que le griot dont nous a parlé ta mère pourra nous aider à retrouver la pierre de maman. Vous et moi, on s'en va en Afrique ! Et on part dans très exactement… DEUX SECONDES !

Mes amis n'ont pas le temps de refuser que je leur empoigne la main et ferme les yeux pour me concentrer. Il est plutôt rare que je doive me déplacer aussi loin par la seule force de la magie. Et emmener deux personnes avec moi ! Toutefois, il ne sera pas dit que moi, Opalyne Otys, je baisserai les bras devant l'adversité !

Longue inspiration. Évacuation de toute énergie négative. Esprit concentré. Je me sens prête à déplacer des montagnes. Et les montagnes ne sont nulles autres que PEF, Laurie et moi !

Un, deux, trois... POUF !

PEF est évidemment le premier à se plaindre.

— Ouf, il fait chaud, par ici ! Opale... où est-ce que tu nous as amenés ?

J'ouvre les yeux sur un désert de sable... et un soleil qui nous plombe sur la tête ! Comme le disait mon voisin le pleurnicheur, il doit faire au moins 45 degrés !

— J'ai l'impression de connaître cet endroit…, murmure Laurie en lâchant ma main.

— Moi aussi, dis-je sur le même ton, en détaillant ce qui nous entoure, c'est-à-dire du sable, du sable et encore du sable.

J'aperçois alors un immense arbre, sous lequel il doit faire bon se réfugier à l'ombre ! Ce que je fais sans plus attendre ! PEF me suit et se laisse tomber à mes côtés en demandant :

— Comment vous pourriez reconnaître cet endroit, puisque vous n'y avez jamais mis les pieds ? À moins que…

— OUI ! C'est exactement ça ! À moins que nous ne soyons

à l'endroit même où ma mère s'est fait prendre en photo, en compagnie de la mère de Millie ! PEF, tu es génial !

— Ah, merci, tu as raison, je suis un vrai génie ! Mais je me disais juste que, puisque c'est toi qui nous as téléportés ici, tu devais connaître le lieu, non ?

Je soupire et me tourne vers Laurie, qui s'étale de tout son long à ma droite. Elle supporte très mal la chaleur, elle aussi. Il nous faut trouver une façon de nous protéger des rayons du soleil. Et tout de suite !

Encore une fois, c'est PEF qui vient à notre rescousse, bien malgré lui... Sans que nous ayons eu besoin de lui demander quoi que ce soit, il retire ses pantalons et commence à les déchirer en longues languettes. Mal à l'aise, je finis par le questionner. (Surtout que la dernière personne que j'aimerais voir en caleçon orange aux motifs de petites pizzas, c'est PEF!!!)

— Euh… mais qu'est-ce que tu fabriques, au juste???

— Des foulards. Tiens, ajoute-t-il en me montrant un petit carré de tissu. Mets-le sur ta tête et attache les extrémités. Au moins, tu n'attraperas pas de coup de soleil.

J'ose à peine toucher à ses vêtements déchirés, car je ne sais pas quelle partie était celle qui lui camouflait les fesses! Laurie vient à ma rescousse en… prenant le tissu sans se plaindre! Suis-je la seule, ici, à avoir dédain de ce garçon ?!?

Mais je me résous à les imiter et j'attache mon nouveau bandeau sur ma tête à mon tour. Puis, je me mets debout et pointe une direction du doigt. (Bien que je n'aie aucune idée de l'endroit où nous devons aller...)

— Que ceux qui m'aiment me suivent... Nous devons partir à la recherche du griot !

QUATRIÈME MAUVAIS CUP RATÉ

C'EST UNE FARCE ?

Il fait chaud, vous ne trouvez pas? Ah non, c'est vrai... Il n'y a que moi qui suis en plein désert d'Afrique, à marcher sans savoir dans quelle direction exactement! Mais je vous le jure: il fait si chaud que je pourrais faire cuire du bacon sur ma bedaine! (Ou plutôt, sur celle de PEF...)

Justement, parlant de PEF, avec cette chaleur, j'ai le goût de vous raconter le dernier mauvais coup que j'ai tenté de lui faire, pas plus tard qu'hier! C'était en soirée et je savais que PEF était dans le bain. (Pour m'en assurer, je me suis exercée à lire dans ses pensées, malgré la distance entre nos deux maisons.)

En gros, il songeait à ses petits bateaux qui vont sur l'eau et je l'entendais chantonner sur cet air ridicule depuis au moins dix minutes. Le cerveau de PEF n'est un mystère pour personne…

Bref, j'en ai profité pour me téléporter jusqu'à sa chambre afin de déposer sur le sol des centaines de verres d'eau! Le mauvais coup parfait! Mon but était d'en mettre dans tous les coins. Lorsqu'il serait entré dans la pièce, il n'aurait plus su où poser ses pieds! La blague impossible à rater!

Sauf pour une joueuse de tours (moi) qui ne cesse de subir des revers depuis un certain temps (soupir)…

Pendant que je plaçais les verres par terre, j'ai oublié de m'assurer que PEF était toujours dans sa baignoire. Et évidemment, il a fini par en sortir. Puis par revenir vers sa chambre. Justement au moment où je me trouvais derrière la porte.

Lorsqu'il l'a ouverte d'un coup sec, je vous laisse imaginer la suite. OUI! C'est exactement cela! Je suis tombée à plat ventre sur le plancher. ET TOUS LES VERRES SE SONT RENVERSÉS LES UNS APRÈS LES AUTRES!

Un vrai jeu de dominos…

CLAC
CLAC

7

Un éléphant, ça trompe, ça trompe...

La sueur me coule dans les yeux et je passe mon temps à m'éponger le front. C'est vraiment désagréable. PEF semble d'accord avec moi, car je peux lire dans ses pensées. Et il est présentement en train de se demander pourquoi il a ENCORE accepté de m'accompagner dans mes mésaventures. (Pas la peine que je lui réponde, étant donné que je me pose la même question…)

Laurie, pour sa part, met sa main en visière pour se protéger du soleil et s'exclame :

— Euh… Opale… dis-moi, c'est quoi, ce truc, là-bas ?

Je me tourne vers le lieu qu'elle m'indique et plisse les paupières. Je ne vois qu'une masse

noire qui avance lentement vers nous. Très lentement… Pas question d'attendre plus longtemps pour découvrir ce que c'est ! Je claque des doigts et nous nous retrouvons à moins d'un mètre de distance d'un… TROUPEAU D'ÉLÉPHANTS !?!

L'énorme bête qui marche un peu plus à l'avant est le plus gros éléphant que j'aie vu de ma courte vie ! Il est tout simplement GIGANTESQUE ! L'une de ses défenses semble avoir été arrachée et il a une large cicatrice qui lui barre l'œil droit.

Lorsqu'il m'aperçoit, il s'arrête net et lève sa trompe haut dans les airs, avant de barrir et de lancer au reste de sa meute, dans un drôle d'accent français :

« Pffffuittt ! Oooh… trois jeunes enfants ! Comme ils sont mignons, vous ne trouvez pas, les mecs ?

— Humpffff ! Absolument ! J'en garderais bien un, moi. Celui avec les cheveux orange a l'air marrant ! réplique l'animal à sa droite.

— Roumpfff ! Veinard… ne me dites pas que je vais me retrouver avec celle qui me regarde d'un drôle d'air. Elle ne me paraît pas très dégourdie, en plus, et… »

Bon, ça suffit! Ils se moquent de moi ou quoi?! Je ne suis pas là pour me laisser insulter. (Parce que, OUI, c'est de moi qu'ils parlent!!!) Je me hisse donc sur la pointe des pieds et je tire sur la trompe du plus gros éléphant du troupeau.

« Hé, toi! Le lourdaud! Oui, c'est à toi que je parle! C'est parce que je comprends tout ce que tu dis, alors peux-tu cesser de m'insulter?! »

Le pachyderme (c'est comme ça qu'on appelle les éléphants, quand on est trèèèès intelligent... ce n'est donc pas PEF qui les nommerait ainsi!) se penche sur moi et ouvre grand les yeux, surpris.

« Proumfff ! Tu causes l'élé-phant ?

— Bien sûr ! En fait, je peux comprendre le langage de tous les animaux, vous y compris.

— Barrrriiiiiimpfff ! Ho, les mecs, vous avez entendu ? La petite est moins idiote qu'il n'y paraît ! »

Je suis à deux doigts de lui donner une bonne leçon, à ce malotru ! Pourquoi ne pas commencer par faire un nœud dans sa jolie trompe ? Je m'apprête à lui infliger ma punition, quand PEF me bouscule et vient se planter devant moi.

— Est-ce que tu es en train de leur parler ? me demande-t-il. Qu'est-ce qu'ils disent ? Je veux savoir !

— Bof, un truc à propos de la couleur de tes cheveux. Ah, et aussi, ils pensent que je suis sûrement suuuuper intelligente...

— Ah ouais? Et sur quoi ils se basent, pour avancer un truc pareil? Ce n'est pas comme si tu avais l'air très... Enfin...

Non mais quoi?! Pourquoi tout le monde dit ça??? Je SUIS méga brillante! La preuve, je sais exactement quoi faire pour retrouver le fameux griot de ma mère. Regardez-moi bien aller!

Je ne me gêne pas pour interrompre le troupeau, qui discute à notre propos:

«Pardon, messieurs les éléphants... Mes amis et moi, on se demandait si vous saviez comment retrouver un certain griot?

Il paraît qu'il a vécu ici il y a au moins… vingt ans.

— G r o o o o o u m p f f f ! Pourquoi tu le cherches, d'abord ? Tu sais, des griots, il en existe des centaines, par ici…

— C'était un ami de ma mère. Je veux seulement lui parler.

— Barrrriiiiiimpfff ! Donne-moi d'abord le nom de ta maman. Peut-être que nous la connaissons. »

Je hausse les épaules, en songeant que je n'ai rien à perdre à lui dévoiler son prénom. De toute manière, je n'ai pas d'autres options.

« Elle s'appelait Maëva. »

Un long barrissement retentit alors à travers tout le troupeau. Les éléphants se déplacent avec lourdeur et s'installent en cercle. Je n'aperçois plus que leurs fesses, désormais ! Et c'est loin d'être joli-joli… Sans compter que, de cette façon, je ne peux plus les entendre discuter. Pour les comprendre, il faudrait que je m'immisce dans leur tête…

Laurie s'approche et me murmure, impressionnée :

— Qu'est-ce que tu leur as dit, pour les mettre dans cet état ? On dirait qu'ils sont en colère…

— Je ne sais pas. Je leur ai juste parlé de ma mère. Peut-être qu'ils l'ont connue. C'est trop bizarre.

Au moment où je commence à être tannée d'observer leur der-rière, le chef du clan recule et manque de me marcher dessus.

Je claque des doigts et réapparais à quelques pouces de sa tête. Il ne sursaute même pas en me voyant faire ce tour de magie, ce qui me confirme qu'il a vu neiger...

Enfin, pas « neiger », dans le sens de la poudre blanche que l'on doit endurer chaque hiver, parce que nous sommes tout de même en Afrique ! Je fais plutôt référence à l'expression bien connue qui signifie qu'il est loin d'être naïf ! Et qu'il connaît la magie...

Bref, pour en revenir à notre éléphant aux grandes dents, ce dernier barrit un dernier coup et m'explique :

« Prrrrrouuuuuumpfff ! Ta mère est déjà venue dans ce pays qui est le nôtre. Nous sommes prêts à t'aider, à la condition que tu nous donnes le rouquin quand ce sera fait », lance-t-il en désignant PEF de sa trompe.

Je hoche la tête et l'invite à continuer. Bon, je sais ce que vous vous dites : non mais, quelle traîtresse ! Mais une minute, j'ai un plan, ne vous inquiétez pas...

« Le griot que tu cherches s'appelle Zima, continue l'éléphant. Si je me souviens bien, il vit près du baobab au centre creux.

— C'est quoi, un baobab ?

— Un arbre. Mais pas n'importe lequel : le plus gros, le plus impressionnant et le plus dangereux qui soit. Son centre est creux et si on s'en approche, on peut être aspiré. Et ne jamais en sortir... Seuls les plus courageux s'y aventurent. Toi, petite fille au visage insouciant, t'en crois-tu capable ? »

Non mais, c'est quoi le problème avec mon visage ?! Je ne suis **PAS** insouciante ! Je suis courageuse, forte et, en plus, j'ai des tas de dons ! Alors qu'on arrête un peu de croire que je ne comprends pas ce qui se passe ici !

Je prends donc une grande inspiration (pour contrôler ma frustration) et lui réponds :

« Moi, je n'ai peur de rien ! Même pas des éléphants qui trompent !! »

Sans faire ni une ni deux (ni trois !), le chef du troupeau plie les genoux et enroule sa trompe autour de mon corps pour me lancer sur son dos. Je réussis à

me retenir de peine et de misère.
Puis il procède de la même façon
avec mes deux amis. Débute alors
un long voyage dans le désert
d'Afrique...

faudrait avoir des bras de six mètres (parce que j'ai deux bras...) pour être capable de rejoindre mes mains!

Cet arbre est très massif et ses feuilles ne poussent que tout en haut. Feuilles qui ne sont présentes que neuf mois sur douze. Ça s'explique par le fait qu'en Afrique, il y a une très longue saison de sécheresse où il ne pleut JAMAIS! C'est pratique, quand on veut jouer dehors, mais un peu moins pour les jardins et les pelouses...

Les baobabs sont aussi des arbres à fruits dont on cuisine les graines pour faire des friandises que les enfants adorent. Et comme le fruit est dans une coquille plutôt solide, on utilise celle-ci pour faire des maracas et jouer de la musique.

Dernier détail intéressant : les baobabs peuvent vivre trèèèèès longtemps. Certains ont l'âge vénérable de 2000 ans !!! Ah, et parfois, un trou se creuse en plein centre du tronc. J'ai bien hâte d'en voir un de mes propres yeux. Je vous laisse pour mieux profiter du spectacle...

d'être léger et je ne crois pas être capable de tous les déplacer en même temps. Par contre, je pourrais toujours tenter de le faire avec l'animal qui nous trimballe, Laurie, PEF et moi.

Aussitôt que je claque des doigts, nous nous retrouvons face à une oasis. Super, nous allons pouvoir nous désaltérer ! Je gratte la tête de notre éléphant et ce dernier me permet de glisser sur sa trompe afin d'atterrir au sol sans le moindre dommage. Ce n'est pas le cas de PEF, qui plonge tête première sur le sable brûlant, tandis que Laurie se cogne durement les fesses.

— Venez, on va aller boire un peu d'eau !

J'ai à peine le temps de faire un pas que je suis stoppée sur ma lancée. Une trompe me tient la taille et m'empêche d'avancer.

« Hé ! Lâche-moi, j'ai soif, c'est tout !

— Prrrriiiiiffft ! Chuuuuut, petite fille, regarde là-bas, me dit l'éléphant en me pointant une cinquantaine d'hommes que je n'avais pas aperçus, trop absorbée

tu es dégueu!) Puis, il lève le doigt dans les airs (celui qu'il vient de sortir de sa narine...), pour montrer qu'il vient d'avoir l'idée du siècle :

— Et si on leur faisait le coup de remplacer leurs couteaux par des concombres ?

— Des concombres ?! Et où on va les prendre, les concombres ? intervient Laurie en soupirant. Non, ce qu'il faudrait, ce serait les faire disparaître d'ici et les propulser au loin. Opalyne, tu crois que tu serais capable ?

— C'est-à-dire qu'ils sont plutôt nombreux et je dois encore m'entraîner...

Mes deux amis demeurent silencieux un moment, mais ils continuent tout de même de chercher LE coup du siècle! Pour ma part, je me dis que nous devrions tout simplement nous enfuir au plus vite. Au même moment, l'un des trafiquants se met à hurler en nous désignant au reste de son groupe.

Oh non! Ils nous ont vus! Nous sommes cuits comme des saucisses sur le barbecue! Comme des guimauves dans un feu de camp! Comme des biscuits oubliés par tante Annie dans le four! Je sens que, si nous ne déguerpissons pas bien vite, nous allons passer un mauvais quart de fleur. Euh... de chou-fleur! Pas du tout... de jongleur? Bon, j'abandonne, ce n'est pas du tout le temps de chercher l'expression exacte!

Je donne une claque sur le derrière de mon éléphant et celui-ci barrit de plus belle. Il se dresse sur ses pattes arrière et menace d'écraser quiconque s'approche le moindrement. Mais en quelques manœuvres précises, les trafiquants nous ont déjà encerclés et nous visent de leurs armes...

Les hommes en question ont le visage maquillé, portent de longues capes rouges et sont munis de lances et de boucliers. Tout cela ne leur donne pas un air très sympathique, de prime abord. Je peux toujours essayer de converser avec eux, mais je doute qu'ils m'écoutent. Je me risque quand même...

— Euh... bonjour, messieurs. Nous ne voulions pas vous déranger. Nous avions seulement un peu soif, vous comprenez ? dis-je en pointant mes dents.

Ce qui me vaut la grogne immédiate de tous les guerriers qui nous observent. Oups... j'ai l'impression qu'ils n'ont pas compris un seul mot de mon discours. J'imagine que c'est le bon moment pour nous faire disparaître... Je lève donc la main, mais mon geste est mal interprété et l'un des trafiquants m'envoie sa lance en pleine poitrine.

Par réflexe, je fais claquer mes doigts et sa lance s'évapore avant qu'elle n'ait atteint sa cible. (À savoir : moi !) Je vois le visage des guerriers s'allonger de quelques centimètres, avant que chacun d'entre eux ne s'agenouille par terre et se prosterne devant moi.

Euh... et maintenant, quel est le plan ?

Les guerriers maasaïs

★ ☆ ✦

Pas le moment pour un mauvais coup (surtout que je passe mon temps à les rater, de toute manière...), car devant moi se trouve un clan complet de *fiers guerriers redoutables*. Il y a à peine quelques secondes, ils étaient prêts à nous trucider, mais ils semblent désormais aussi dociles que des cerveaux. Ah non, ça recommence ! Que des agneaux, je veux dire !

Puisqu'ils ne parlent pas la même langue que moi, j'en ai aussitôt profité pour aller lire leurs pensées et ainsi en apprendre davantage sur eux. Ce sont des guerriers maasaïs. Ils se *font* aussi appeler les hommes-lions. Pourquoi ? Parce que la légende raconte que, pour devenir de grands chasseurs, ils doivent prouver à tous leur courage en pourchassant un lion.

En plus, et là, c'est carrément dégoûtant, ils boivent le sang des animaux qu'ils tuent ! Oua-che !!!

Sur leurs bras, ils ont dessiné des animaux avec une poudre rouge et, malgré leur position de soumission, je dois avouer que je ne leur fais pas complètement confiance. Surtout que je viens de voir dans leur tête qu'ils ont l'intention de me garder pour eux, car ils croient que je suis une sorte de magicienne...

Les voilà d'ailleurs qui se relèvent. Leur chef attache le cou de mon éléphant et le tire pour que celui-ci le suive. Je crois que je n'aurai pas le choix : je vais devoir aller là où ils me mènent... Espérons que ce ne sera pas trop loin, car je commence à être un peu perdue, dans ce désert !

9

La grande cérémonie

Pas moyen de nous faire disparaître de nouveau, car mes deux amis sont descendus de force de l'animal et sont entraînés loin de moi. Comme je maîtrise encore plutôt mal mes pouvoirs, c'est à peine si je peux entendre leurs pensées à cette distance. Pas question d'essayer de nous déplacer et de risquer d'oublier un pied, une oreille ou un bras dans le transport ! (Je suis plutôt gaffeuse de nature, alors... on ne sait jamais !)

Je commence à avoir de plus en plus soif (si au moins j'avais pu boire une petite gorgée d'eau tout à l'heure, aussi !) et le soleil ne tardera pas à se coucher à l'horizon. Si nous ne revenons pas bientôt à la maison, mes tantes et ma grand-mère vont s'inquiéter. (Et nous donner la punition du siècle, je le pressens déjà !)

Au loin, des tambours résonnent au rythme d'une chanson inconnue. Nous approchons d'un village. Et bientôt, plusieurs maisons apparaissent derrière une dernière butte de sable. Je crois qu'elles ont été fabriquées en terre cuite, car leur couleur ocre (un mélange de brun et de rouge) est assez spéciale.

Sur place, un troupeau de dromadaires se reposent et des enfants s'amusent à courir dans tous les sens. On dirait qu'une fête se prépare, car la musique est de plus en plus forte et les gens sont fébriles. Je fais un tour dans la tête de celui qui guide mon éléphant pour comprendre ce qui se passe :

« La cérémonie approche… Et avec l'offrande que j'amène, la tribu sera heureuse et la sécheresse s'arrêtera peut-être enfin. Le sacrifice d'une magicienne, voilà ce qu'il nous fallait. Le djéli sera fier de moi… »

Est-ce que j'ai bien compris ? Je vais être donnée en sacrifice ?

Oh là là ! Je sens que je vais devoir trouver une solution au plus vite pour me sortir de ce pétrin ! Si au moins PEF et Laurie étaient près de moi, ce serait facile. Mais non, je les ai perdus de vue depuis un moment, déjà. D'ailleurs, j'espère qu'ils ne sont pas présentement en train de cuire dans une immense marmite…

Je tourne la tête dans tous les sens pendant qu'on me force à descendre de l'animal et qu'on me traîne vers le centre du village. Le silence se fait autour

de nous et les enfants viennent aussitôt m'entourer. Mon guerrier empêche certains d'entre eux de venir me toucher et me bousculer. Toujours aucun signe de mes amis.

Oh non! Je DOIS les retrouver et disparaître au plus vite! Dans mon dos, je sens alors une chaleur me chatouiller les talons. En tournant la tête, je constate qu'un brasier vient d'être allumé. Ça y est, on va me jeter dans le feu, me faire cuire à haute température et me déguster avec des carottes et des brocolis! (Ah non, impossible, je ne crois pas que les brocolis poussent très bien dans cette région...)

Peu importe! Légumes verts ou pas, il est hors de question

que je permette à quiconque de me croquer ! Les tambours ne résonnent plus, mais un murmure accueille un nouveau personnage, qui vient de sortir d'une petite maison. Vêtu d'une longue robe blanche et coiffé d'un petit chapeau, il s'avance vers moi. Je ne peux pas bien voir son visage, car il est caché par ses longs cheveux tressés.

Lorsqu'il s'arrête face à moi et qu'il repousse ceux-ci derrière ses épaules, je le reconnais : il s'agit du griot qui était sur la photo avec ma mère ! Il se met à me parler dans une langue que je ne saisis pas. Je me concentre donc pour tenter de comprendre ses pensées.

« Jeune fille, que fais-tu aussi loin de ton pays ? Comment es-tu venue ici ? Et quelle nouvelle nous apportes-tu ? »

Pour lui répondre, je n'ai pas d'autres solutions que de demeurer dans sa tête :

« Je m'appelle Opalyne et je viens du Canada. Je crois que vous avez déjà connu ma mère...

— Ooooh... et tu es capable de lire dans mes pensées ? La seule personne possédant ce don était une femme aux fortes ambitions. Elle est venue me voir, il y a longtemps. Je commençais ma carrière de griot, à l'époque. Ce devait être ta mère... S'appelait-elle Maëva ?

— OUI ! C'est elle ! C'est ma mère !

— Dans ce cas, je suis bien le griot que tu cherches et je me nomme Zima. Pourquoi es-tu là ?

— Je voulais savoir si vous saviez où ma mère avait caché sa pierre précieuse ?

— En fait, j'ai beaucoup mieux à te montrer. Je vais te dévoiler l'endroit où elle a été enterrée. Avec ta magie, tu pourras nous être utile pour mieux sceller les lieux. Car il y a parfois une faille… Viens, suis-moi. »

Je ne comprends plus rien. Ma mère n'a pas été enterrée en Afrique ! Sa tombe est dans le cimetière de ma ville. Je le sais, car je suis déjà allée me recueillir sur celle-ci. Mais pour ne pas contredire le griot, je décide de le suivre. Puisqu'il a déjà rencontré maman, il pourra m'en apprendre davantage sur elle. Juste avant, j'ai tout de même quelque chose à lui demander :

« Dites, pourriez-vous demander à vos guerriers où sont mes amis ? Je commence à m'inquiéter pour eux… »

Sans me jeter un regard, le griot utilise le bâton de pluie qu'il tient dans une main et fait signe à quatre hommes de s'approcher. Il leur lance ensuite un cri ou deux (je ne saisis pas du tout ce qu'il raconte), et les guerriers tournent les talons pour revenir en soutenant de larges billots de bois sur lesquels mes amis ont été attachés. PEF et Laurie ont la tête qui pend dans le vide et j'ai l'impression qu'ils sont passés très près de finir dans le feu de camp du village...

Sans plus attendre, nous suivons tous Zima qui se dirige derrière les maisons, là où un immense arbre trône en roi et maître. C'est le baobab dont parlaient les éléphants.

Nous approchons du but ! D'un autre côté, c'est aussi ce baobab qui est si dangereux que seuls les plus irréductibles acceptent de s'en approcher.

J'avale ma salive avec difficulté, en me demandant si je suis bel et bien aussi courageuse que je le croyais, en fin de compte...

CINQUIÈME ET DERNIER

MAUVAIS C**·**UP...
RÉUSSI!

CLAC
CLAC

Vous êtes pris en otage en Afrique par une tribu de guerriers sanguinaires? Vos amis sont ficelés autour d'un billot et ils seront bientôt servis en repas principal à tous les affamés qui vivent dans le village? Et vous vous demandez comment vous en sortir?

Rien de plus simple! D'après mes calculs, c'est le bon moment pour exécuter un de vos fameux mauvais coups. À la condition de le réussir, celui-là!

Tout d'abord, si vous possédez le don d'arrêter le temps (oui, oui, je sais, peu de gens en sont capables, mais je pose tout de même la question...), utilisez-le! Un petit claquement de doigts et le tour est joué. Par la suite, dépêchez-vous de défaire les liens retenant les jambes et les bras de vos amis.

Puis, retournez à votre place initiale et faites redémarrer le cours du temps. Mais assurez-vous d'informer vos amis par la pensée (ah oui, ce don-là non plus, vous ne l'avez pas... dommage!) de ce que vous venez de faire.

Et enfin, attendez le bon moment pour vous sauver! (Je vous suggère fortement d'y aller

dès que vos ravisseurs auront le
dos tourné...)

CLAC
CLAC

10

Dans le centre du baobab

Pour rassurer PEF qui me lance des regards apeurés, je lui fais un clin d'œil complice, après lui avoir expliqué (par la pensée) que ses liens sont maintenant détachés. Mais il ne doit pas le montrer à nos ravisseurs. Pour le moment, du moins. Laurie a tout de suite compris, car elle hoche la tête doucement.

Bien vite, nous arrivons au lieu où se dresse le gigantesque baobab. Il est vraiment impressionnant. Bien plus que l'arbre sacré qu'il y a sur mon terrain. Bien plus que ma maison! Bien plus que l'appétit de PEF! (C'est tout dire!)

Je prends une grande inspiration et me concentre sur les trucs donnés par grand-maman Tourmalyne. Je dois me débarrasser de toutes les émotions qui me submergent et faire le vide en moi. Pas facile... Surtout quand on se trouve à des kilomètres de chez soi, entourée de gens qui ne nous veulent pas nécessairement du bien, et que nous sommes la SEULE personne à pouvoir nous sortir de ce pétrin !

Je sais que je vais y arriver. De toute façon, maintenant que PEF et Laurie sont près de moi, je peux toujours nous téléporter en cas de panique. Mais avant, je veux voir ce que le griot a voulu dire, lorsqu'il a parlé de ma mère qui serait enterrée ici...

Zima se tourne justement vers moi et m'explique, par la pensée :

« Voilà, Maëva repose dans le creux de notre baobab, pour l'éternité...

— Pourquoi ? À vous entendre, on croirait qu'elle y est prisonnière !

— Mais... c'est exactement cela. Maëva ne doit pas sortir de cet arbre. Sous aucun prétexte.

— Je n'y comprends rien ! Le corps de ma mère est dans mon pays, je vous le jure. C'est impossible qu'elle se trouve à deux endroits en même temps !

— Ah, mais c'est parce que nous ne parlons pas de la même chose. Ce n'est pas son corps qui est scellé dans le tronc du baobab, mais son âme… Et tu vas nous aider à refermer la brèche qu'elle a réussi à former avec ses pouvoirs. »

Je me fige aussitôt. L'âme de ma mère aurait été enfermée ?! C'est complètement insensé ! Sans compter qu'elle n'a rien fait pour mériter une telle punition ! Je dois intervenir et la sortir de là, me dis-je, au moment même où un vent violent me pousse vers l'arbre.

Zima réagit aussitôt en me suppliant dans ma tête de ne pas y aller. Que je dois la laisser reposer en paix, car l'âme de ma mère est tourmentée. Justement ! Si elle est si tourmentée, il est de mon devoir de la libérer. De l'aider à s'échapper de sa prison ! Le griot m'empoigne le bras et me retient fortement, mais je le repousse.

« NON! Ne fais pas ça. C'est elle qui te pousse à y aller. Ne l'écoute pas et sois forte! »

Je secoue la tête, pour lui signifier qu'il est hors de question que je reste de marbre devant le désespoir de maman. Alors, je le vois faire signe à ses guerriers de s'emparer de moi. Ceux-ci se mettent à hurler en courant dans ma direction. Je n'ai pas beaucoup de temps pour réagir. Ces hommes ont volé l'âme et l'esprit de ma mère. C'est peut-être même à cause d'eux qu'elle est morte!

En un claquement de doigts, tout redevient calme autour de moi. Les Maasaïs ne sont plus qu'à quelques centimètres de moi, mais ils ne peuvent plus avancer. J'ai stoppé le temps. Même Zima ne respire plus, les yeux exorbités. Le vent s'est calmé. Rien ne bouge. Je remarque que PEF a commencé à descendre de son billot, tout comme Laurie. Mais ils sont figés, eux aussi.

De toute manière, ils ne peuvent pas m'aider. C'est à moi d'aller voir ce qui se cache dans ce creux. J'avale difficilement ma salive et fais un pas, puis un autre. Lorsque je pose enfin ma main sur le tronc, je me sens comme aspirée dans un autre monde. Dans celui où ma mère vit depuis des années. Seule. Pauvre maman...

Mais je suis là, désormais. Je suis venue pour elle ! Et je me laisse glisser dans un tunnel qui me semble sans fin. Jusqu'à atterrir sur un sol spongieux, dans un endroit sombre et froid. Une petite lumière apparaît et une silhouette se dessine tout près de moi. La voix de ma mère me parvient, très faiblement :

— Ma petite Opalyne ? C'est bien toi ?

Je me redresse d'un bond et tends les bras vers celle qui m'a tant manquée...

— Maman ! Oui, c'est bien moi !

Elle s'approche et m'attire vers elle. Ses bras sont translucides et la sensation est vraiment étrange. C'est comme si elle n'était pas complètement là. D'ailleurs, elle recule aussitôt, comme si elle avait été brûlée, en s'excusant :

— Je suis désolée, ma chérie. Je ne suis qu'une âme, tu comprends ? Alors il est difficile pour moi de te serrer.

— Ce n'est pas grave, maman. Au moins, tu es là. Est-ce que je peux faire quelque chose pour t'aider ?

— Eh bien... puisque tu le demandes, oui. Il y a bien quelque chose que tu pourrais faire. D'abord, j'aimerais tant sortir de cet arbre. Ce griot m'y a enfermée. Mon pouvoir est de contrôler les éléments et il désirait me le voler, afin d'enrayer la sécheresse de son pays. Mais pour cela, il devait m'emprisonner. Cet homme est méchant et tu ne dois pas te fier à lui.

— Je me disais, aussi… Mais comment faire pour te sortir de là ? Tu n'as pas de corps.

— C'est facile, tu peux m'emmener avec toi dans ta tête et me ramener à mon corps dans le cimetière où il repose. Pour cela, je dois entrer en toi…

— Entrer en moi ? Tu veux dire, dans mes pensées ?

— Non, c'est plutôt comme si je prenais le contrôle de ton corps. Tu dois t'assoupir et, pendant ce temps, je vais prendre le relais. Dis-moi, ma petite Opalyne, me fais-tu confiance ?

— Bien sûr, voyons ! Tu es ma mère !

Elle me sourit gentiment et lève la main pour flatter mon

visage, mais elle la baisse aussi vite, comme si elle s'était brûlée.

— Dans ce cas, si tu veux que notre connexion fonctionne mieux, il faudra que tu retires cette breloque que tu portes. Elle m'empêche de bien entrer en toi.

Oh, elle veut parler de la broche que Tourmalyne m'a offerte. Rien de plus simple, je la retire et la range dans ma poche. Ma mère semble contente, car elle se dresse sur toute sa hauteur, pose le doigt sur mon front et marmonne des paroles incompréhensibles. Moi, je ferme lentement les yeux et je sombre dans un sommeil peuplé de rêves étranges...

Le monde des rêves

* ☆ *

Je ne sais pas si on peut vraiment appeler cela « rêver », car j'ai l'impression que tout ce qui se passe autour de moi est vraiment réel. Que cela n'arrive pas simplement dans ma tête. Laissez-moi vous le décrire...

Je suis dans le même tunnel qui m'a amenée dans le creux du baobab, mais dans la direction inverse. C'est un peu comme si je m'élevais dans les airs. Mes bras sont relevés, dans la position que j'utiliserais si je voulais faire un plongeon dans une piscine. Et je monte... je monte... à toute vitesse !

Puis, la lumière apparaît tout au bout du tunnel. Une lumière si éblouissante que je plisse les yeux par réflexe. Surtout que celle-ci augmente et envahit tout ce qui m'entoure. Jusqu'à ce que j'atteigne le sommet et que je me retrouve à genoux devant l'arbre. Ça y est, mon corps a réussi à sortir. Je sens une joie immense m'envahir.

C'est à ce moment que les choses commencent à dégénérer... Le sable du désert, derrière le village, se met à s'élever et à tourbillonner dans les airs. De larges nuages noirs couvrent nos têtes et le soleil perd de son éclat. Alors, des éclairs zèbrent le ciel et la foudre résonne partout autour de nous.

Mais le temps n'a toujours pas repris son cours. Je voudrais claquer des doigts pour réveiller mes amis et partir loin de cet endroit, car des *frissons* de peur m'envahissent, mais je ne contrôle rien. Ce n'est pas moi qui suis aux commandes de mes pouvoirs et de mes dons.

La pluie se met alors à tomber très *fort* et des grêlons aussi gros que des grenouilles nous *frappent* durement. Il *faut* que je *fasse* quelque chose. Je sens que je m'apprête à claquer des doigts. Mais je ne comprends pas ce que ma mère essaie de *faire*. En moins de deux, mes amis se trouvent à mes côtés et je leur tiens la main. Puis, un dernier éclair zèbre le ciel, tandis que nous nous téléportons loin de ce pays.

Pour apparaître dans le cimetière où ma mère a été enterrée, il
y a longtemps déjà...

Le pouvoir
des six pierres

Je n'ai pas rêvé, ces événements viennent bel et bien de se produire… La preuve? À mes côtés, une silhouette translucide flotte devant moi. Mes amis clignent des yeux, comme s'ils arrivaient difficilement à le croire. PEF est évidemment le premier à s'écrier:

— Opale, ne fais pas le saut, mais je pense que j'ai le pouvoir de voir des fantômes… Et qu'il y en a un juste en face de toi !

— Mais non ! Tu n'as aucun pouvoir, ce n'est que ma mère. Je viens de la libérer du baobab au centre creux. Et elle nous a tous ramenés ici.

— Oh, désolée, madame, je ne vous avais pas reconnue, murmure mon ami en levant la main pour serrer celle de maman.

Je donne une claque sur son bras en soupirant.

— Elle ne peut pas te toucher, crétin ! Elle n'a pas de corps !

— Justement, réplique le fantôme de ma mère d'une voix

douce. Ce n'est pas pour rien que nous sommes ici. Mon corps se trouve dans une tombe et je dois le retrouver, si je veux revenir à la vie. Mais pour cela, il nous faudra utiliser le pouvoir de la sphère... L'un de vous trois pourrait-il aller la chercher? Ainsi que ma pierre magique?

Laurie lève aussitôt la main, heureuse de pouvoir se rendre utile.

— Moi! Mais... je ne cours pas très vite...

— Ne t'en fais pas, je vais te téléporter, ça ne prendra que quelques secondes. Il ne manque que la pierre précieuse, par contre, dis-je en me tournant vers Maëva.

— Elle est cachée dans le tambour de mon xalam. Je me

demande où Tourmalyne peut bien l'avoir rangé...

Je me souviens alors de l'instrument de musique que nous avons trouvé dans le grenier et, en deux temps trois mouvements, j'expédie Laurie chez moi pour la ramener aussitôt avec ces deux objets.

Les yeux brillants de joie, ma mère me fait signe d'attraper le xalam et de le secouer vers le sol. Une minuscule pierre verte tombe dans un bruit sourd. C'est une émeraude! Je la ramasse aussitôt et m'approche de la sphère pour l'y insérer. Une lumière éclatante se répand dans tout le cimetière et je sens que le sixième pouvoir entre en moi...

Des étincelles fourmillent au bout de mes doigts. Lorsque je les bouge légèrement pour en faire sortir le surplus d'énergie, des bourrasques de vent surgissent de mes mains. En souriant, j'annonce à mes amis :

— Le pouvoir de ma mère est de contrôler les éléments ! C'est complètement fou !

Je voudrais faire tomber de la neige, repousser les nuages pour que le soleil réapparaisse de nouveau ou simplement fabriquer un arc-en-ciel, mais une douleur intense me frappe de plein fouet. Je me plie en deux et me mets à crier.

PEF s'agenouille à mes côtés pour tenter de comprendre ce qui ne va pas, mais j'arrive à peine à parler. Dans ma tête, la voix de ma mère résonne fortement :

« Pauvre petite fille… crois-tu que j'allais te laisser tous ces pouvoirs sans rien dire ? Que je te permettrais de devenir la magicienne la plus forte que le monde ait connue ? Il n'en est pas question ! C'est à moi qu'aurait dû revenir ce privilège ! À MOI ! »

Je hurle sans pouvoir m'arrêter. Mon corps se contorsionne dans tous les sens pendant que je sens une force maléfique aspirer mon âme. Je ne peux rien faire contre ce qui m'arrive. Mais PEF se met à fouiller dans ma poche et en ressort ma broche. Il la repositionne sur mon chandail et le cri de ma mère retentit entre les tombes. La douleur s'estompe et je parviens à me redresser.

Autour de nous, le cimetière est dévasté. Les tombes, arrachées. Là où maman aurait dû reposer, un grand trou a été creusé. Ma mère a réussi à revenir à la vie.

Je me tourne vers mes amis, le visage défait :

— Je suis désolée, je ne pensais pas que ma mère était si méchante...

— Ce n'est pas ta faute, réplique Laurie. C'est sûrement la malédiction de la sphère qui l'a rendue ainsi. Et toi, PEF, comment tu as su ce qu'il fallait faire pour aider Opalyne ?

Il hausse les épaules avant de répondre :

— Je ne sais pas, ça m'est venu comme ça. On devrait peut-être aller voir ta grand-mère, marmonne PEF, en se penchant pour ramasser la sphère, qui traîne au sol.

Il la lève devant nos yeux pour nous montrer qu'elle a perdu son éclat… Elle semble vide. Je hoche la tête et prends une grande inspiration pour me concentrer, avant de nous téléporter jusqu'à l'atelier de Tourmalyne.

Une seconde… deux secondes… Il ne se passe toujours rien. Je rouvre les yeux, en panique, et claque des doigts. Rien. Voyons ! Un horrible pressentiment remonte ma colonne vertébrale lorsque je tente d'arrêter le temps. De faire bouger un objet par la pensée. De lire dans les pensées de mes amis. De prédire le futur. De parler aux animaux qui vivent dans le cimetière.

RIEN!!!

Je dévisage alors PEF et Laurie, et m'exclame:

— Je crois que j'ai perdu mes pouvoirs! Ma mère me les a volés!!!

À SUIVRE...
DANS LE DERNIER TOME:
Le tic-tac de l'horloge

✦ TITRES DE LA COLLECTION ✦

978-2-89595-795-9

978-2-89595-796-6

978-2-89595-797-3

978-2-89595-806-2

978-2-89709-035-7

978-2-89709-102-6